KB075672

[개정판] 치사량의 애정

[개정판] 치사량의 애정

지은이   해언

발 행   2024년 07월 03일
펴낸이   한건희
펴낸곳   주식회사 부크크
출판사등록   2014.07.15.(제2014-16호)
주 소   서울특별시 금천구 가산디지털1로 119 SK트윈타워 A동 305호
전 화   1670-8316
이메일   info@bookk.co.kr

ISBN   979-11-410-9293-1

www.bookk.co.kr

[개정판]
치사량의 애정

해언

BOOKK

차례

프롤로그

공부에 살고 공부에 죽던 도하. 공부 없인 안 되는 도하. 늘 두꺼운 책을 가방에 넣고 다닌 도하. 공부고 자시고 다 포기하고 싶었을 정도로 불행했던 도하. 인생에서 공부가 다였던, 공부밖에 모르던 도하가 주제넘게 누군가를 사랑한다면.

중학교 입학한 지 얼마나 됐다고 벌써 고등학교 입학이냐. 엄마가 근심 가득한 표정으로 한숨을 푹 내쉬었다. 도하는 입을 꾹 다문 채 제 몸만 한 가방에 문제집을 한가득 넣었다. 아직도 폐지 줍니? 엄마의 말에 가방 지퍼를 닫던 손이 뚝 멈췄다. 아니요. 엄마를 걱정시키기 싫었던 도하는 거짓말했다. 살면서 거짓말을 해 본 적이 한 번도 없는데. 엄마는 도하의 말이 거짓말인 걸 알면서도 별다른 말을 하지 않았다. 그저 중간고사 준비는 잘 돼 가냐는 말을 할 뿐. 엄마, 저 아직 입학도 안 했어요, 라는 말 대신 네,라고 대답했다.

사실 도하는 가난을 원망했다. 엄마를 위해 티를 내지 않았을 뿐. 공부해 봤자 이 가난에선 영영 벗어나지 못할 거라고 생각했던 도하는 중3 겨울 방학 때 바뀌었다. 이 가난에서 벗어날 수 있겠다고, 공부만 열심히 한다면 이 가난이 영원하지 못할 거라고. 늦었지만 아득바득 공부하기 시작했다. 너무 늦은 것 같아 포기하고 싶었겠지. 평생을 제대로 공부해 본 적 없던 도하가 지금 이렇게 문제집 사서 공부한다고 얼마나 할 수 있을까 싶었기에. 하지만 이 걱정들이 무색해지게 도하는 금방 따라갔다. 한다고 마음만 먹으면 무엇이든 금방 따라갔다. 그런 도하는 과목 중에 국어를 가장 좋아했다. 국어를 좋아해서 그런지 소설가를 진로로 잡았고. 코피가 시도 때도 없이 터질 정도로 공부했고 글을 썼다. 글도 제대로 쓴 지 얼마 되지 않아서 필력은 별로였지만 포기하지 않고 계속해서 노력해 나아간다면 언젠가는 꿈을 이룰 수 있을 거라 생각했다.

다들 설레고 또는 긴장하는 새 학기가 시작되었다. 시간은 정말 빠르구나, 입에 내뱉지 못할 말들을 혀에서 마구잡이로 굴려댔다. 반에는 신나 보이는 애들이 참 많았지만, 도하는 그런 분위기 속에서도 늘 긴장했다. 성적이 바닥을 치게 되진 않겠지. 제발 그러지 않길. 그러면 안 돼. 안 돼. 안 된다…….

반 분위기는 참 밝았다. 중학교를 같이 나온 애들이 많은 건지 그때는 그랬었다며 떠드는 무리가 많이 보였다. 무리에게서 시선을 거두니 홀로 있는 남학생이 시선에 걸렸다. 익숙한 뒤통수. 익숙한 넓은 어깨. 시선을 거두지 못하고 계속 빤히 바라보고 있다가 눈을 마주쳤다. 서로 몇 초간 눈을 바라보다가 도하가 먼저 시선을 거두었다. 이상한 감정들이 도하를 집어삼키는 것 같았다. 그때 그런 도하에게 아까 그 학생이 말을 걸었다.

"너 나 알아? 난 너 아는데. 긴가민가했는데 눈 보니까 알겠더라."

"알아요."

"진짜?"

"네, 한지한 선배잖아요."

"내 이름도 알고, 나한테 여전히 존댓말 하는 거 보면 이도하 맞네."

"복학했어요?"

"엉. 멍청해서."

"복학생은 주인공이라던데."
"야 뭐래. 누가 그러냐?"

지한은 도하에게 유일하게 말을 걸어주던 사람이었고, 여전히 그렇다.

지한은 늘 도하에게 인디언 보조개가 잘 보이도록 환하게 웃어줬다.

도하는 중학교 때 아무도 말을 알 걸던 자신에게 별 영양가 없는 대화를 시도하던 지한이 신기했고 웃겼다. 도하는 소문이 안 좋아 만인의 기피 대상이었고, 지한은 소문이 늘 좋아 만인의 이상형이었으니까. 흑과 백. 지한과 도하에게 너무나도 걸맞은 말이었다.

도하는 지한이 자신에 대한 소문을 몰라서 말을 거나 싶었다. 하지만 지한은 그 누구보다도 지한을 잘 알았다.

이도하 걔 허구한 날 여자 만난대.

아빠 죽이고 보험금 꿀꺽했대.

걔가 공부에 그렇게 미쳐있는 거, 그거 다 정신병이래. 조현병인가 뭔가… 저번에 아무도 없는데 허공에 말하는 걸 누가 봤대! 미쳤어 진짜.

별의별 소문들이 다 떠돌았다. 소문들은 쉽게 퍼져 쉽게 사라지지 않았다. 중2밖에 안 됐던 도하에겐 걸맞지 않은 소문들. 지한은 반 애들이 도하에 대해 험담할 때마다 늘 미간을 찌푸리며 닥치라고 했다. 지한은 별의별 악성 소문이 자자한 도하가 폐지를 열심히 줍는 것을, 땅에 떨어진 병들을 주변을 살피며

몰래 주워다가 파는 것을 봤거든.

아, 내가 이렇게 동정심이 강했나? 동정이 아닌가. 그러면
뭐지. 오지랖? ……사랑?

도하는 자신의 소문이 안 좋은 말든 신경도 쓰지 않았다. 다들 도하를 뒤에서 욕한다는 걸 알았지만 개의치 않았다. 차라리 욕하는 게 마음이 편했다. 그냥 당장 원하는 건 죽음뿐이었으니까. 누가 날 죽여줬으면 했다. 욕으로 자살할 용기라도 주었으면 했다. 공부도 하기 싫었고 사랑도 하기 싫었다. 남들 발치에 굴러다니던 더러운 병들 주워다가 파는 일도 싫었다. 정작 남들 발치에 이리저리 치여가며 살아가는 건 난데, 난 아무도 구원해 주지 않는다. 애꿎은 병들을 내가 구원해 준 것이다. 감정 없는 물건 따위에게 열등감을 가지고 살았다. 이런 나를 지금 당장이라도 누가 죽여 시체를 갈기갈기 찢어서 아무도 모르는 곳에 버려주었으면 좋겠다. 그러고는 나를 알았던 사람들의 기억 속에서 날 영영 사라지게 해 줬으면 좋겠다. 현실로는 불가능한 일을 계속해서 상상하며 심장이 찢어지는 듯한 기분이 들 정도로 슬퍼했다.

비가 내렸다. 도하는 강의가 흘러나오는 유선 이어폰을 빼 정리해서 가방 깊숙이 넣었다. 그치지 않을 것처럼 비가 내리는 하늘을 올려다봤다. ……우산 없는데. 도하의 시선이 형형색색의 우산이 꽂혀 있는 우산꽂이로 옮겨졌다. 시선을 거둘 수 없었다.

……하나쯤 없어져도 모르지 않을까.

우산꽂이로 향하는 도하의 손에 누가 우산을 내밀었다. 지한이었다. 어, 형. 지한이 인디언 보조개를 옅게 보이며 미소를 띠었다. 도하는 괜찮다며 연신 거절했으나 어느새 손에 우산이 쥐어져 있었다.

"난 늘 우산 두 개 들고 다녀서 괜찮아."

도하를 향한 지한의 마음은 동정인가?

"왜 두 개씩이나 들고 다녀요. 형, 하교 혼자 하잖아요."

아니, 정정한다. 사랑이다. 지한은 도하를 좋아한다. 지한이 너 때문이라는 말을 역류했다. 당황한 도하의 표정 때문에 어색한 기류가 둘 사이에 흘렀다. 지한이 이 정적을 깼다.

"그, 우산 빌려줄 테니까 나랑 하교 같이해. 나 너랑 집 같은 방향이야."

지한에게 사랑이란 그랬다. 좋아하는 사람을 위해 늘 우산을 두 개씩 들고 다니는 것, 별 영양가 없는 대화여도 끊임없이 시도하는 것. 지한의 신경은 온통 도하였다. 도하도 지한을 좋아할까? 쌍방일까? 물음표가 갈고리처럼 휘어있다고 해서 답이 낚이는 것도 아닌데 지한은 끝없이 허공에 물음표를 던졌다. 어떤 메아리도 들려오지 않을 걸 알면서도.

알 수 없는 표정을 한 도하가 지한에게 물었다.

"형, 저 왜 챙겨주는 거예요?"

너라서. 너니까. 네가 좋아서. 목에 걸려 지금 당장이라도 헛기침해 뱉어내야 할 것만 같은 말들을 애써 삼켰다. 지한이 아무 말도 못 하자 도하가 말을 덧붙였다.

"형, 저 동정하는 건 아니죠? 그런 거면 필요 없어요."

역류할 것 같은 거 역류하라는 듯이 지한의 등을 토닥이는 도하의 말에 지한은 역류하고 말았다. 네가 좋아서. 하필 내뱉어도 제일 내뱉으면 안 될 말을 했다. 도하는 당황한 기색을 숨기지 못했다. 어색한 기류는 또다시 둘을 집어삼켰다.
하늘은 지한의 마음을 몰라주나? 비가 그치기 시작했다.

"형, 비 그쳐서 우산 안 빌려주셔도 될 것 같아요."

"……아,"

"그, 하고는… 같이해요."

걷는 내내 한참을 아무 말 안 하던 도하가 입을 뗐다.

"형은 사랑이 뭐라고 생각해요?"

뜬금없는 사랑 질문에도 지한은 당황하지 않았다.

"음,"

"안 보면 보고 싶은, 이런 진부한 말 말고요."

"그 사람의 전부가 되고 싶은 거?"

"오,"

"근데 이것도 좀 진부한 말 같아."

"그래요? 저는 진부하지 않은 말로 들려요."

"그래?"

"네. 안 보면 보고 싶은 거는 쉬운데, 그 사람의 전부가 되는 건 어렵잖아요. 그래서 진부하지 않은 것 같아요."

넌 쉬운 것 같아. 지한이 속으로 도하의 말에 대꾸했다. 입 밖으로는 절대 내뱉어서는 안 되는 말. 넌 내 전부라는 말.

"어렵지, 그렇지."

감정을 숨기기만 한다는 것은 지한에게 독이 된다는 것도
모르고.

그날 이후로 도하는 감기에 걸린 것인지 몸이 안 좋았다. 몸이 안 좋으니 공부가 잘될 리가 없었고. 강의가 밀릴 대로 밀려버린 도하는 유선 이어폰을 꺼내 귀에 꽂았다. 강의에 시선을 집중해 느릿느릿 걷던 도하를 뒤에 있던 지한이 발견해 불렀다. 도하야. 도하가 바로 뒤돌아 지한을 쳐다봤다. 엇, 형. 지한이 웃으며 도하에게 달려왔다. 야 뭐야, 너 목 완전히 나갔네. 감기 걸렸어? 도하가 지한의 걱정에 괜히 뒤통수를 쓸며 대답했다. 아 네, 근데 괜찮아요. 지한이 도하의 얼굴을 빤히 쳐다봤다. 우리 둘 다 비 한 방울 안 맞았던 것 같은데, 왜지? 지한의 말에 도하가 머쓱하게 웃었다. 그러게요…. 도하는 지한의 목소리를 잘 듣기 위해 듣던 강의 영상의 볼륨을 낮추었다.

이건 배려인가?

"형, 그때 그 말, 무슨 뜻이었어요?"
"엉? 뭔 말."
"저 좋아한다고 했던 거요."

지한이 도하의 말에 얼탔다. 도하가 지한의 눈을 똑바로 응시해 지한은 죽을 맛이었을 거다. 피하긴 싫었고 안 피하자니 죽을 것 같았다. 친구로서 좋아한다는 거죠? 도하의 말에 지한은 생각이 많아졌다. 거예요도 아니고 거죠……. 맞다고 해야 할 것만 같았다. 하지만 죽어도 거짓말은 못 하겠기에 그냥 입을 꾹 다물 수밖에 없었다. 다른 뜻이에요? 계속되는 도하의 질문에도 지한은 아무런 답도 해 주지 못했다. 지한은 도하가 하는 행동들의 의미를 알아야 했다. 백 프로의 확신은 아니더라도 육십 프로 정도는 확신이 있어야 했다. 왜 남들은 한 학년 꿇은 나를 지한아,라고 부르는 걸, 너는 형이라고 매번 존댓말을 하는지. 그냥 예의인가? 배려인가? 아니면, 이도하 너도 날 좋아해? 지금 당장이라도 도하에게 묻고 싶었다. 턱 끝까지 차오른 말들을 지한은 억누르려고 노력했다.

지한의 눈에 초점을 맞추었던 도하의 눈이 도하의 발치로 떨어졌다. 강의가 끝났다. 노래 대신 귀에 흐르고 있던 강의가 끝나버렸다. 이러다가 성적 떨어지면 어떡하려고 그래. 따라가지 못하면 어떡하려고. 속으로 자신을 채찍질하던 도하가 지한에게 먼저 가 보겠다며 황급히 볼륨을 올려 지한에게서 멀어졌다. 평소엔 뭐라도 먹고 등교했던 도하가 편의점을 지나쳐 학교로 들어갔다.

한 이십 분 지났을까, 지한이 반에 들어왔다. 도하는 눈도 못 마주치며 들어오는 지한에게 말을 걸었다. 형 오늘 하교 같이해요. 지한은 고개만 끄덕일 뿐, 여전히 입을 꾹 다물고 있었다.

수업하는 내내 지한은 도하를 쳐다봤다. 지한이 계속 도하를 힐끔힐끔 쳐다보는데도 도하는 뒤 한 번 돌아보지 않고 필기했다. 도하는 아파서 그런 건지 평소보다 더 수척해 보였다. 도하에게서 시선을 떼지 못하는 지한을 선생님이 불렀다. 수업 시간에 칠판 말고 어딜 보는 거냐며 한 소리 들었다. 지한이 혼나는 와중에도 도하는 필기하느라 바빴다. 아 죄송합니다. 지한이 사과하자 선생님이 지한을 짧게 노려보다가 다시 칠판으로 고개를 돌렸다. 정 집중 안 되면 뒤로 가서 서 있어. 지한은 선생님의 말씀에 자세를 고쳐 앉았고 연필을 들었다. 이번만 봐주는 거야. 선생님의 말씀에 지한이 생글생글 웃으며 네,라고 답했다. 또 혼날까 봐 겁났지만 계속해서 자꾸 시선이 도하에게 갔다. 제발 이 시간이 끝나길. 지한이 속으로 같은 말만 되뇌었고 종소리가 흘렀다. 자, 오늘은 여기까지. 선생님께서 나가시고 애들도 하나둘씩 반을 빠져나갔다.

"도하야, 미안……."
"네? 형이 왜요."
"나 때문에 수업 시간 좀 날렸잖아. 열심히 필기하던데, 내가 방해한 것 같아서."
"괜찮아요."

진짜 괜찮은 거 맞나.

점심시간 종이 치자마자 애들은 부리나케 뛰어갔다. 다들 먼저 먹으려고 뛰는데 도하는 단 한 발자국도 움직이지 않았다. 그저 작고 낡은 MP3에 유선 이어폰을 꽂아 노래를 재생할 뿐이었다. 도하의 귀에서 강의가 아닌 노랫소리가 흘렀다. 운동장 쪽 창문을 바라보더니 금방 시선을 책상으로 돌렸다. 지한이 앞에 있었다.

"형, 왜 점심 안 먹어요."
"그건 내가 할 말인데."
"그래서 왜 안 먹어요."
"네가 안 먹길래."
"뭐, 형 진짜 저 좋아해요?"

지한이 도하의 말에 멋쩍게 웃으며 제 뒤통수를 쓸어내렸다.

이보다도 더 어색할 수가 있을까? 점심시간 이후로 말 한마디 없던 둘은 하교하는 내내도 말 한마디 없었다. 이 정적에서 버티기 힘들다고 생각한 지한의 속마음을 읽기라도 한 듯 도하가 걷다가 멈췄고, 지한도 도하 따라 걸음을 멈췄다. 도하가 돌아서서 지한의 두 눈을 아침과 같이 똑바로 응시하며 말을 꺼냈다.

"형, 말해 줘요."

안 되는데. 아직 확신이 육십 프로에 육박하지 못했는데…. 계속 도하의 발치에 시선을 두던 지한이 고개를 들어 도하의 두 눈에 시선을 맞췄다. 그냥 지금 말하자, 고백할 기회가 또 언제 오겠어.

"…좋아해. 친구로서, 형으로서 좋아하는 거 아니야. 널 진심으로 좋아해."
"……."

지한의 고백. 고개를 푹 숙여 마른세수만 연신 해대는 도하의 모습에 지한의 심장이 바닥으로 쿵 떨어졌다. 넌 날 좋아하지 않는구나. 내가 김칫국을 너무 많이 마셨네. 모든 걸 역류할 것 같았다.

도하의 방황하던 감정들이 지한의 고백으로 인해 확실해졌다. 지한을 좋아한다. 주제넘게 사랑을 시작해 버렸다. 도하는 지한을 좋아하고, 지한도 도하를 좋아한다.

사랑 따위 하기 싫었는데.

"…형,"
"……어."
"……저도 형을 좋아해요."

형, 이런 저를 형이 감당할 수 있을까요. 형, 저는 우울증 달고 살아요. 우울증뿐만이 아니라 여러 병을 달고 살아요. 가난해서 폐지 줍고요, 남들 발치에 굴러다니던 더러운 병들도 몰래 주워다가 팔아요. 남 걱정시키는 거 안 좋아해서 거짓말도 자주 해요. 재미없고 시시한 사람이고, 누구 웃길 줄 모르는 사람이에요. 그래도 괜찮아요? 근데 형, 저라면 저 같은 애 안 만나요.

"도하야, 나는 네가 어떻든 좋아."

도하야, 나도 누구 웃길 줄 몰라. 사는 건 잘 살아도 마음은 가난할 수도 있어. 그래도 괜찮아? 근데 도하야, 나라면 나 같은 애 안 만나. 네가 힘들 때 내가 해 줄 수 있는 거라고는 곁에 있어 주는 것, 그뿐이거든.

28

지한이 난데없이 도하에게 같이 살자고 했다. 처음엔 당연히 거절했다. 형이 집이 있어요? 텍스트로만 보면 분명 날카로운 말인데 분명 부드러운 어조였다.

"옛날에 삼촌께서 살던 작은 집이 있는데, 둘이 살기에 꽤 좋아."
"……생각해 볼게요."

독서등 살 돈 아까워서 사지 못해 밤에 공부하려고 불을 켜면 그렇게도 잠을 못 주무시던 엄마를 생각해서라도 같이 사는 게 도하에겐 이득인 것 같았다.
지한이 또 조심스레 같이 살래? 물었다.

"좋아요."
"진짜?"
"네, 같이 살게 해 준다는데. 저한텐 손해일 게 없잖아요."

도하의 말에 지한은 실실 웃으며 감정을 숨기지 못했다. 지한은 좋아하는 사람과 같이 산다는 거, 그 자체로만 세상을 다 가진 듯했다. 이 순간이 영원했으면.

"형 왜 자꾸 웃어요. 이상해요."
"좋아서."

형은 뭐가 그렇게 맨날 좋아요. 도하는 괜히 부끄러워서 말을 계속해서 덧붙였다. 너면 다 좋지. 웃고 있는 지한의 말은 진지했다. 도하는 본인을 이렇게까지 좋아해 주는 사람은 처음이라 낯선 감정에 어쩔 줄 몰라 뒤통수만 쓸어내렸다.

얼마 전 충동적으로 손목을 얕게 그은 도하의 여린 손목이 눈에 들어왔다. 지한은 아무렇지 않게 앉아서 자신이 해 준 김치찌개를 먹고 있는 도하에게 하고 싶은 말들을 속으로 되뇌었다. 왜 그었어? 안 아파? 치료해 줘도 돼? 입 밖으로 내뱉지 못할 말들이 가슴 언저리에서 떠돌았다. 얇디얇은 팔에 그은 지 얼마 되지 않아 울긋불긋한 선들을, 노을처럼 붉게 퍼진 선들을 치료해 주고 싶었다. 지한은 문득 그런 생각이 들었다. 내가 있음에도 불구하고 도하가 이렇게 불행한 건, 내가 한참 모자라서 그런 건가? 지한의 신경은 당연히 늘 온통 도하였다. 도하는 이런 지한의 속마음이 들리기라도 하는 듯 적막을 깼다.

"형, 저 진짜 하나도 안 아프니까 걱정 그만 해요. 그냥, 그냥 웃어 줘요."

처음이었다. 웃어달라는 말. 도하는 단 한 번도 지한에게 웃어달라는 말을 한 적이 없었다. 웃어달라는 말 대신 웃는 게 바보 같다는 말은 자주 했지만. 그 말을 들을 때마다 지한은 그저 실실 웃기만 할 뿐이었다.

하지만 이런 지한이라고 해서 도하에게 아예 상처를 안 받는 건 아니었다. 도하에겐 오지랖이겠지만, 지한은 도하가 긋고 난 뒤에 자신에게 숨기는 것에 가장 큰 상처를 받았다. 도하는 처음에 지한의 상처를 받는다는 말이 이해 가지 않아 제 손목을 천천히 쓸어내리기만 할 뿐 어떠한 말을 하지 않았다. 도하는 초반에만 이해가 안 갔지, 이제는 누구보다 지한을 이해한다. 사랑을 이해하기 시작한다. 어떠한 말도 하지 않고 제 손목만 천천히 쓸어내려 지한을 더 걱정시켰던 도하는 이제 지한을 달랬다.

괜찮아요.

괜찮아요, 형.

걱정 마요.

안 아파요.

죽지 않아요.

죽지 않을게요.

매번 비슷한 말들로 지한을 달랬다. 그런 도하의 말을 이젠 좀 빈말이라 생각할 만도 한데 지한은 바보같이 믿었다. 아니, 믿고 싶었다. 그래, 도하야. 죽지 마. 오래 살아, 나랑.

"형, 저는 형이랑 있을 때 제일 행복해요."

행복하다는 말의 뜻을 모르는 사람처럼 굴던 도하가 처음으로 지한에게 행복하단 말을 했다. 지한은 도하를 따뜻하게 안아 줬다. 지한의 품속에 갇힌 도하는 느꼈다. 형의 품이 이렇게나 따뜻하구나. 이 따뜻함에 질식할 것 같았다.

"형, 제가 말로는 죽고 싶다고 해도 못 죽어요. 형이랑 행복해야 하거든요. 원하는 꿈 이뤄서 형이랑 평생 행복해야 하거든요."

도하의 우울의 깊이는 어느 정도일까.

맛있는 걸 먹은 아이처럼 실실 웃다가도 사탕을 뺏긴 아이처럼 세상 무너지게 우는 도하를 지한은 그저 안아 줄 수밖에 없었다. 아무런 말도 하지 않고 따뜻하게 품에 도하를 가두었다. 괜찮아, 도하야. 괜찮아. 지한이 도하를 놓으니 도하가 가슴 언저리에 있던 말을 내뱉었다.

"……형, 이런 저랑 만나는 거 안 지쳐요?"
"…지쳤으면 이미 이 관계 끝냈어."

꽤 아무렇지 않게 대답했지만 솔직히 놀랐다. 지치냐니. 이 말은 애인 사이에선 금기어 아닌가? 지한은 도하랑 함께하면서 한 번도 힘들고 지친다고 생각한 적이 없었다. 없었고, 없고, 없을 건데. 도하야 힘들어? 지한의 대답에 묵묵부답인 도하를 다시 품에 가두었다. 도하는 안긴 그대로 가만히 있을 뿐, 지한의 등에 손을 올려놓는다든가, 품에서 빠져나온다든가 하지 않았다. 지한은 생각했다. 도하야, 너는 어쩌면 이런 게 필요했을까.

50일, 100일, 150일, 200일, 250일, 300일……. 서로를 아

끼는 시간이 점점 늘었다. 지한은 아르바이트해 겨우겨우 돈을
버는 도하에게 기념일은 다 자기가 챙길 테니까 아무것도 선물
하지 말라고 했다. 지한은 매일 아침 삼각김밥으로 끼니를 겨우
해결하던 도하에게 처음으로 집밥을 해 줬다. 같이 밥을 먹고,
같이 등교하고, 같이 하교하고. 도하는 지한에게 늘 고맙다고
했다. 지한은 작은 거에도 세상을 다 가진 것처럼 감사해하는
도하의 모습도 너무 좋았다. 어떻게 시간이 지날수록 더 좋지.

"형, 늘 고마워요."
"널 위해서라면 백 번이고, 천 번이고 할 수 있는 것들이
야."
"해 줄 수 있는 게 없어서 미안해요."
"너 자체가 선물이야."

지한은 뭘까. 뭔데 도하를 이렇게 따뜻하게 해 주지. 뭔데
이렇게 살고 싶게 만들지. 지한의 애정에는 끝이 없었다. 한없
이 따뜻했고, 그 따뜻함에 늘 질식했다.

도하가 종이를 구겼다. 제 뜻대로 되지 않는 건지 도하가

계속해서 종이를 구겨 던졌다. 새벽이라 적막한 집이 종이 구기는 소리로 한껏 메워졌다. 화라도 난 듯 종이를 막 구기다가도 옆에 자고 있는 지한이 깰까 구기던 종이를 책상 옆에 조심스레 던졌다. 이번엔 긴 한숨이 적막한 집 안을 메웠다. 도하는 계획을 변경했다. 이런 식으로 적다가는 종이만 날리고 해 뜨겠다고. 새벽 3시 48분, 곧 날 밝겠다. 글씨 날리든 말든 일단 적자. 도하는 몇 번 끄적이더니 곱게 접어 깔끔한 흰색 편지 봉투에 넣었다. 들인 시간에 비해 꽤 짧은 분량의 편지를 보니 좀 허탈했지만 같은 말만 반복하는 장문보다는 진심 담긴 짧은 글이 나은 것 같았다. 지한이 깨지 않도록 조심스레 서랍을 열었고 미래 준비해 둔 반지 옆에 편지를 놓았다.

도하는 침대에 걸터앉아 곤히 잠든 지한을 바라봤다. 형, 형은 정말 독한 사람이에요. 좋은 쪽으로요. 저였으면 저 같은 애 안 만나요. 나 같은 애 만나면 진짜 많이 지칠 것 같아. 근데 형은 저따위를 300일이나 만났어요. 지한의 사랑은 도대체 뭘까. 뭔데 도하를 이렇게 살고 싶게 만들까. 다른 사람이 아닌 지한만이 가능한 일이었다. 도하는 하고 싶은 말들을 속으로만 되뇌었다. 사랑한다는 말, 평생을 함께해 줬으면 좋겠다는 말. 아직은 하기 싫었다. 날이 밝고 지한이 깨면 하고 싶었다.

날이 밝고 도하가 깼다. 하- 하고 입김이 나왔다. 도하보다 먼저 깬 지한이 코트를 꺼내 입었다. 도하야, 바다 갈래? 바다 가고 싶은 표정인데 완전. 도하가 살포시 웃으며 지한을 바라봤다.

"형이 가고 싶은 거 아니에요?"

부스스한 머리, 아직 꿈속인 듯한 목소리. 지한은 살포시 웃으며 얘기하는 도하의 모습이 너무 사랑스럽다고 느꼈다. 금방 준비하게 나오겠다는 말과 함께 도하는 터덜터덜 방에서 나갔다.

도하는 지한이 100일이자 도하의 생일을 기념하는 의미로 사 줬던 남색 코트를 꺼냈다. 나중에 바다 가자며 줬던 소중한 코트. 이 코트는 도하에게 세상에서 지한 다음으로 제일 중요했다. 그 어떠한 물건과도 바꿀 수 없는 그런 코트였다. 코트를 꺼낸 도하를 바라보던 지한이 예쁜 미소를 띠었다. 누가 사준 건지 몰라도 코트가 참 예쁘네. 도하는 피식하고 웃었다. 그러게요. 누가 사준 건지 참 예쁘네. 도하가 옷걸이를 빼 코트를 입었다.

"어때요. 좀, 형 애인 같아요?"
"응, 엄청."
"저, 형이랑 잘 어울리는 것 같아요."
"나는 어때, 좀, 네 애인 같아?"
"엄청요."

이 순간 도하의 행복의 깊이는 어느 정도일까.

"이 코트, 영원히 간직할게요."

영원. 영원이라는 말을 사용하다니. 도하는 영원을 믿지 않았다. 불행도 영원할까 봐, 가난히 영원할까 봐. 그래서 영원 따위 믿지 않는다고 했던 건데, 왜 자꾸 형만 보면 영원하고 싶죠. 영원이 뭐예요. 영원이 뭘까요? 영원이 뭐죠. 저랑 형을 뜻할 말인가요? 그렇다면 난 끝도 없이 영원하고 싶습니다.

모래 알갱이들이 반짝였다. 해는 저물어가고 기분 좋은 바람이 살살 불어왔다.

"형."
"응."
"좋죠, 저랑 바다 와서."

그걸 말이라고.

"당연하지. 너는?"
"좋아요. 형이랑 함께하는 거면 뭐든 다."

도하가 코트 주머니에 손을 넣어 반지와 편지를 찾았다.

"…형, 제가 많이 좋아하는 거 알죠? 당연히 사랑도 해요. 이런 저랑 만나 줘서 고마워요. 300일 축하하고. 아르바이트한 이유도 다 형 위해서였어요. 좋은 날에 잔소리 금지. 선물 맘에 들었으면 좋겠어요."

지한이 옅은 미소를 지으며 코트 속에 손을 넣어 무언갈 꺼냈다. 도하가 가지고 싶어 하던 예쁜 목걸이였다. 둘 다 액세서리 준비한 게 웃겼다. 사랑하면 닮는다더니 어째 취향도, 생각도. 잠시 웃더니 도하의 목에 목걸이를 둘렀다.

"도하야, 너랑은 영원하고 싶어. 그래도 돼? 우울해? 그러면 안아 주고, 죽고 싶어? 그럼 더 꼭 껴안아 줄게. 그러니까 영원을 약속해도 돼?"

지한은 도하가 영원을 안 믿는다는 걸 어렴풋이 알고 있었다. 한 번도 영원하자는 말을 안 했으니까. 하지만 오늘 영원이라는 말을 썼던 도하. 그런 도하를 보고 용기를 낸 것이었다. 지한의 말을 묵묵히 듣고 있던 도하가 지한의 손가락에 반지를 끼우고 두 눈을 맞췄다.

영원을 약속하자고 했던 지한의 두 눈엔 파도가 일렁였다.

형, 형은 바다도 아닌데 왜 눈에서 파도가 일렁일까요.

"형도 어렴풋이 알 테지만, 전 영원을 안 믿어요. 근데, 형이랑은 자꾸 영원하고 싶어요. 그래서 그냥 영원을 믿어보려고요. 영원하려고요, 형이랑."

형의 바다는 정말 기복이 심해요. 내 말 듣고 잔잔해지는 걸 보면.

도하가 환하게 웃었다. 지한에게 오늘은 더할 나위 없이 행복한 날이었을 거다. 도하가 저렇게 환히 웃은 적이 없었으니까. 도하의 웃는 모습을 본 지한은 어떻게 해서라도 도하에게 행복을 주고 싶었다. 행복해 늘, 도하야.

도하는 웬일로 일찍 잠에 들었다. 지한은 도하가 반지와 함께 줬었던 편지를 읽기 시작했다.

무슨 말을 먼저 해야 할지 모르겠어요
그냥 좀 음 사랑한다는 말을 해 주고 싶어요
애정 표현 좋아하는 거 너무 잘 알아서 사랑한다는 말
천 번이고 만 번이고 해 주고 싶은데
표현이란 게 너무 어려웠거든요
속으로는 백번 천만 번도 가능한데 왜 안 뱉어지지
싶고...
그래서 서툴렀고 가끔 형에게 상처를 주기도 했어요
이건 반성할게요 ㅋㅋㅋ
형 만큼 저 좋아하는 사람 없다는 거 너무 잘 알고
저도 마찬가지예요
영원하고 싶다고 했죠? 영원합시다 우리
저, 오래 살아서 형이 하는 실없는 소리도 듣고 싶고
형이 해 주는 김치볶음밥도 오래오래 먹고 싶고 그래요
제 맘 알죠? 사랑해요 300일 축하해요

지한이 곤히 잠든 도하의 머리칼을 매만졌고 쓰다듬었다. 도
하야, 죽지 마. 다 포기할 수 있어도 너 없인 살 수 없으니까.

지한의 사랑은 언제나 치사량이다.

추운 겨울이 다 가기 시작했다. 발가벗겨진 나무에 푸른 잎들이 자라기 시작하고, 옷차림이 가벼워졌다. 새 학년이 시작된 지 얼마나 됐다고 중간고사까지 일주일도 남지 않았다는 사실에 한숨을 쉰 도하는 잠든 지한의 머리를 쓰다듬었다. 훤히 드러나 예쁜 지한의 이마에 뽀뽀했다. 쪽 소리가 적막했던 방 안을 요란스럽게 메웠다. 형, 형을 정말 사랑하지만 성적이 떨어진다면 함께할 시간이 적어질 거예요. 머리칼을 몇 번 매만지더니 도하는 조용히 휴대전화를 켜 캘린더를 확인했다. 중간고사 하루 전이 지한의 생일이라니. 불안했다. 지금 당장 누워서 잘 수만 있더라면 얼마나 좋을까. 형이랑 시답잖은 이야기나 하며 행복하게 웃을 수만 있더라면 얼마나 좋을까. 형의 생일을 까먹게 되면 어떡하지. 형… 형은 이런 나라도 사랑해요? 성적 때문에 사랑하는 사람에게 소홀해질 수도 있는 못난 놈인데. 지한의 머리칼을 계속해서 매만지던 도하가 지한이 걷어찬 이불을 도로 다시 덮어 줬다. 아니지, 소홀해지지 않게 미리 공부를 해 놓으면 되지. 도하가 피곤한 몸을 일으켰다. 의자에 앉아 독서등을 켰다. 이것도 지한이 선물해 주었던 선물인데. 복잡한 감정들이 자꾸만 도하의 머릿속에 자리 잡았다. 형은 도대체 왜 나 같은 걸 좋아하는지 모르겠어요.

도하는 시험과 지한의 생일 둘 중 하나라도 소홀해지지 않도록 열심히 공부했다. 필기하다가 코피 나는 건 기본이었고, 어떨 때는 구역질까지 해댔다. 그렇게 열심히 공부하며 시간을 보냈더니 벌써 시험 하루 전. 지한의 생일.

미역국이 없어 내심 서운해하는 지한을 보고 도하가 케이크를 꺼냈다. 미역국 때문에 살짝 처져 있던 입꼬리가 케이크를 보자마자 올라갔다.

"……미역국 해 주고 싶었는데, 요리를 한 번도 해 본 적이 없어서… 미안해요."

"괜찮아. 케이크 먹자."

"근데 형, 딸기 좋아한다고 했죠?"

"엄청."

도하를 위한 거짓말. 지한은 초코케이크를 좋아했다. 하지만 도하는 초콜릿을 먹지 못했고, 그런 도하를 위해 지한은 매번 기념일 딸기 케이크를 사 왔었다. 그래서 그런지 도하는 지한이 딸기 케이크를 제일 좋아하는 줄 아는 거였다. 지한이 초코케이크를 제일 좋아한다는 말은 아마 평생 입 밖으로 나오지 않을 것이다. 이게 사랑 아니면 뭐야. 지한은 도하를 위해선 모든 할 수 있었다. 도하를 위해 그깟 초콜릿은 안 먹어도 됐다.

생각보다 시간은 빨랐다. 눈을 감았다 뜨니 벌써 중간고사 마지막 날이었다. 지한은 꽤 잘 쳤고, 도하는 말할 것도 없었다. 걱정을 평소보다 많이 했지만 당연히 잘 쳤다. 이번에도 반에서 일 등은 도하였다.

도하랑 점수 차이가 얼마 안 나는 애가 있었다. 주성이라고 도하처럼 공부에 미쳐있는 공붓벌레였다. 주성은 답지가 나오고 채점하면서 도하가 백 점인 과목들의 시험지를 벅벅 찢어댔다. 주성의 친구들은 잘 쳤는데 왜 찢냐며 위로했지만 단단히 화가 난 주성에게 그딴 위로는 성가신 말로만 들렸다. 도하는 그런 주성에게 눈길조차 주지 않았다. 화를 겨우 참고 있던 주성은 마지막 과목 답지가 나오자 화를 주체하지 못했다. 도하가 옅은 미소를 지으며 시험지를 보는데 주성은 그 눈을 갈기갈기 찢어 발기고 싶다는 생각만 했다.

답지와 도하에게 모여있던 아이들이 하나둘씩 가방을 챙겨 반을 나갔다. 지한은 도하의 등을 살살 쓸며 잘 봤냐고 다정하게 물어봤다. 도하는 생각보다 잘 본 것 같아 다행이라며 빨간색 동그라미들이 가득한 시험지를 곱게 접어 가방 속에 집어넣었다.

"형 때문에 이번 시험 망칠 뻔했어요."
"응?"
"시험 치는데, 자꾸 형 생각 나요."
"아, 뭐야."

형이 웃으니까 제 모든 걱정이 사라지는 것 같아요.

니 뭔데. 니 뭐 얘 애인이냐? 야 말해 봐. 니들 게이야? 지한이 콜록거렸다. 지한이 맞는 소리와 앓는 소리가 어둡고 적막했던 골목을 한껏 메웠다. 어디서 주워 먹은 건지 모를 술에 잔뜩 취한 주성이 지한을 무식하게 때려대는데 지한이 막는다고 다 막아지지가 않았다. 지한은 맞고 있으면서도 도하가 안전한지 보려고 도하에게 시선을 고정했다. 씨발 뭔데 끼어드냐고. 도하는 이 상황이 싫었다. 끔찍했고 꿈이었다면 갈기갈기 찢어 갈기고 싶었을 수준이었다. 지한이 자신을 구하려다가 얻어터지고 있는 이 상황을 벗어나고 싶었다. 생각은 이렇게 해도 겁에 잔뜩 질린 몸은 움직여지지 않았다. 마치 얼음 땡 놀이라도 하는 것처럼. 끊기지 않는 맞는 소리, 또 끊기지 않는 지한의 앓는 소리. 무식하게 때려대는데 별 반응 없는 지한의 모습에 열을 받을 대로 받은 주성이 주변을 훑더니 굴러다니는 소주병을 집었다. 움직여지지 않던 몸이 반응했다. 설마 저걸로⋯⋯. 황급히 일어난 도하가 주성의 손목을 붙잡았다.

"미친놈아. 작작 좀, 해."

말은 거침없었지만, 몸은 분명 떨고 있었다. 명백한 불안이었다.

"한 대 치면 아무것도 못 할 새끼가 나대,"

55

주성이 도하를 위협하자 지한이 몸을 겨우 일으켰고 주성의 손목을 붙잡고 있던 도하의 팔을 낚아챘고, 주성의 배를 발로 차 넘어뜨렸다. 주성이 넘어지자 지한이 도하를 끌고 달렸다.

한참을 뛰었다. 주성한테서 충분히 멀다고 느껴질 때까지.
지친 지한과 도하는 아무 벤치에 털썩 주저앉듯이 앉았다.

"……형 왜 저 도와줬어요. 형 죽을 수도 있었어요."

겨우 진정된 도하가 지한에게로 시선을 옮겼다. 흙 묻은 교
복, 언뜻 보이는 멍들, 생채기 난 볼, 터진 입술.
누가 도하의 머리에 망치질이라도 하는 것처럼 고개가 자꾸
바닥으로 떨어졌다. 명백한 미안함이었다.

"알아."

아무 말 없이 앞을 바라보던 지한이 도하에게로 시선을 옮
겼다.

"근데 죽고 나발이고 그 새낀 내가 한 대 치는 게 맞았어."
"……."
"걔 진짜 찌질한 새끼더라. 네가 공부 열심히 한 걸 왜 너
한테… 본인이 노력을 덜 해서 이 등인 걸 왜 너한테 뭐라고
해? 아니 등수 정하는 것도 웃겨. 근데 이런 이유로 널 쳤잖아.
내가 참았어야 했어?"
"……."

불안이라는 파도는 도하의 눈에서 일렁였고, 쉽게 잠잠해지
지 않았다.

아까 일은 없었던 것처럼 잘 준비하는 지한을 빤히 쳐다봤
다. 지한이 이불을 정리하다가 본인을 빤히 쳐다보는 도하와 눈
을 마주쳤다.

"도하야, 안 자?"
"……."
"얼른 자야 내일 일찍 일어나지."
"형,"
"응?"
"저 때문에 죽지 말아요."
"……응?"
"저를 위해 죽겠다는 건 말만으로 충분해요. 그러니까,"
"……."
"진짜 죽진 말아요."
"…사랑하니까,"
"무슨 일이 있어도 저 때문에 죽진 말아요. 결코 저를 위한
것이 아니니까요."
"도하야,"
"……같이 자요. 저 피곤해요."

도하에게 지한의 죽음이란, 상상할 수도 없고, 상상해서도
안 될 문제였다.

그 일 이후로 둘은 별다른 거 없이 잘 지냈다. 달라진 게 있다면, 도하가 정신과 약을 꾸준히 먹으며 나아질 기미를 보인다는 거, 그 정도.

벌써 더워져 반팔을 꺼내 입기 시작했다. 여름이 시작되었다. 기말까지는 시간이 좀 있었고, 미리 진도를 다 뺀 지한과 함께 있을 시간이 늘어났다. 이젠 좀 여유가 생긴 도하는 유선 이어폰을 정리해 가방에 넣었다. 도하야, 케이크 사러 가자. 도하가 어리둥절한 표정으로 갑자기 웬 케이크예요? 하고 물었다. 곧 생일이잖아. 지한이 웃으며 얼른 가자고 손짓했다. 지한의 손짓에 도하가 지한에게 다가갔다. 도하가 다가오자마자 지한이 짠,하며 예쁜 팔찌를 도하에게 보여줬다.

"아니 형, 이건 또 언제 샀어요. 진짜 안 사 줘도 되는데."
"좋으면서. 여기 봐봐, 우리 이니셜도 새겨져 있어."

도하가 실실 웃으며 감정을 숨기지 못하자 지한은 도하의 손을 잡아끌었다. 얼른 가자, 늦으면 케이크 다 팔려.

"형 덕분에 불행할 겨를이 없어요."
"케이크 사 줘서?"
"네? 아니,"

지한이 인디언 보조개를 보이며 푸하하,하고 웃었다.

"장난. 나도 너 덕에 불행할 겨를이 없어."
"고마워요, 항상."

도하는 지한에게 사랑한다, 좋아한다는 말보다 고맙다는 말
을 더 많이 했다.

"형 아니었으면 제가 이렇게까지 행복할 수 있을까요."
"도하야, 나 너 없으면 어떻게 살지."
"그럴 일 없어요."

지한은 도하의 어깨에 기대어 눈을 감았다.

그럴 일이 없다던 도하는 지한이 자고 있는 새벽에 조용히
눈물을 훔치며 칼을 꺼내 들었다. 도하가 생각하는 도하의 단점
은 충동적이고 우울함에 무게가 너무 크다는 것. 도하가 칼을
떨어뜨리는 동시에 눈을 감았다.

도하가 눈을 떴다. 환한 전등, 하얀 천장, 그리고 도하를 사방으로 감싸고 있는 흰 커튼. 분명 여긴 병원이다. 머리가 지끈거려 상처로 인해 아픈 팔로 머리를 부여잡으며 얕은 앓는 소리를 흘렸다. 도하의 곁에 앉아 졸고 있던 지한이 놀라서 눈을 떴다.

"……형."
"야 너… 너 진짜,"
"……미안해요."

안도와 불안 그 사이의 눈물이 지한의 볼을 타고 흘렀다. 지금 제일 아플 도하의 눈에는 가뭄이 온 건지 단 한 방울도 허락하지 않는데 지한의 눈에선 왜 홍수가 난 건지. 그 누구도 설명할 수 없었다.

"죽지 마…… 도하야……. 도하야, 도하야… 이도하. 제발, 어? 제발…"

도하가 몸을 지한 쪽으로 쭈욱 빼서 안았고 엉엉 우는 지한의 등을 살살 쓸었다. 불안했죠, 미안해요.

"도하야, 우리 그냥 같이 죽을까. 너 없인 살 수 없는데, 네가 죽고 싶다면 너 좋을 대로 해. 죽음으로 함께할게. 죽을 거면 가을에 죽을래? 여름은 너무 뜨거우니 가을에 죽을까."

도하가 잠시 망설이더니 입을 뗐다. 말라서 갈라진 입술 사이에 나오는 희망.

"죽긴 뭘 죽어요."

지한이 감정을 숨기지 못하고 놀랐다. 도하의 입에서 이런 말이 나올 줄은 상상도 못 했으니까. 지한이 고개를 돌려 지한에게 시선을 고정했다. 둘이 눈을 맞췄다. 삼 초간의 정적. 이 정적을 깬 건 도하였다.

"살고 싶어요, 형."

처음이었다. 도하가 지한에게 살고 싶다고 한 건.

"……그럼 살자. 오래오래 같이."

지한이 도하를 꼭 껴안았다. 도하야, 고마워. 난 너 없이 살 수 없어. 그러니까 죽지 마. 앞으로도 쭉 살고 싶어 해.

"도하야, 고마워."

도하가 살짝 웃으며 붕대 감긴 팔을 살살 흔들었다.

"형이 매일 소독해 줘서 금방 아물겠다. 그죠."

도하는 방 안에 있는 모든 칼들을 치웠다. 도하를 위해, 지한을 위해. 지한은 도하를 매번 안아 주었다. 도하의 세상은 차갑더라도 도하 그 자체는 따뜻할 수 있게.

"형, 고마워요."
"나도."
"형 아니었으면 저 이렇게 나아지지 못했을 거예요."

지한만이 할 수 있는, 지한만이 가능한 일이다. 늘 죽고 싶어 하던 도하를 살고 싶게 한 건 지한이 처음이자 마지막이었다. 지한을 만나기 전까지는 하루하루 살아가는 게 곤욕이었던 도하. 아르바이트하다가 모르는 손님한테 뺨 맞는 것조차 익숙할 정도로 많이 맞아봤지, 사랑의 손길로 도하를 대해 준 사람은 없었기에. 그랬기에 도하에게 지한은 구원이었다.

새벽부터 조용하던 도하를 지한이 흔들어 깨웠다. 아무리 흔들어도 도하는 깨어나지 않았다. 도하야, 도하야? 도하야……!!

날이 어느 정도 밝자마자 도하를 업고 병원까지 뛰었다. 얼마나 정신이 없었는지 신발도 짝짝이로 신고…. 심장이 너무 뛰어 화장실로 가 세수만 몇 번을 했는지 모르겠다. 제발, 제발, 제발 안 좋은 소식이 들려오지 않길. 지한이 떨며 화장실에서 나왔다. 도하에게 가니 도하는 어울리지도 않는 흰 천을 얼굴 끝까지 덮고 있었다. 의사가 몇 시 몇 분에 사망한지 말하고 있는데 물에 들어가기라도 한 듯 귀가 먹먹했다. 흔들리는 시야, 저절로 연신 돌아가는 고개. 믿을 수 없었다. 도하야, 아직 하지 못한 게 많은데 떠나면 어떡해.

도하야, 먼저 갔다고 원망 안 할게. 너도 몰랐을 거라 믿을게. 우리 사이에선 비밀 없기로 했잖아. 행복한 기억들만 가져가. 아픈 기억들은 내가 다 안을 테니.

지한은 도하가 떠나가고 충분히 슬퍼하고 충분히 울고 나서
도하의 짐들을 정리했다. 박스 안에 차곡차곡 쌓이는 너의 흔적
들. 그리고 도하가 좋아했지만 한 번밖에 못 입은 남색 코트를
주기적으로 빨았다. 도하의 책상도 구석구석 닦고, 늘 갖고 다
니던 이어폰도 상자에 넣었다.

　　그리고 도하와 살면서 한 번도 열어본 적 없던 도하의 서랍
을 이제야 열어볼 수 있었다. 그 안엔 편지지 네 개가 남겨져
있었다.

형
가을에 죽자고 했을 때 제가 살자고 했죠
내가 곧 형을 떠난다는 사실을 알아서 그냥 여름에 죽자고
하고 싶었어요
근데 난 죽어도 되지만 형은 살아가 줬으면 해서 충동적으로
하려던 말을 애써 삼켰어요
아마 평생 안 할 것 같아요
제 평생이 20년도 안 된다는 사실이 저를 울리네요
무엇을 위해 이렇게 열심히 살았나 싶다가도
형 생각이 나서 딱히 후회는 안 되더라고요
삶에 대한 미련 따위 없을 줄 알았는데 그건 또 아니네요
형이 그리울 것 같아요
제 삶의 끝이 형인 건 또 좋긴 좋아요 ㅋㅋㅋㅋ
사랑해요 그래도 아직은 좀 여유 있어

첫 번째 편지,

형

새근새근 자는 건 너무 귀여운데 자꾸 이불을 걷어차서

걱정돼요

여름이라고 감기 안 걸리는 거 아니니까

제발 이불 덮고 자요

아직 초여름이야~~

제가 가고 나면 추워지겠네요

저, 형이랑 이번 겨울에 눈사람 만들고 놀고 싶었어요

근데 그게 안 되네요

형 곁에 내가 있어야 되는데... 그래야 우리 형 감기 안 걸리는데

또 답답하다고 목도리 벗고 얇은 후드만 입고 다니지 말고요

꼭 따뜻한 겉옷 입고 나가요

신호 잘 보고 건너고

걸을 때 폰은 가급적으로 하지 말고 ──

알았죠?

이젠 내가 못 챙겨 주니까...

혼자서도 잘 하겠다고 약속해요

그래야 내가 편히 가

두 번째 편지,

형
　내가 이렇게 사랑이 많았던가요
　형이 왜 이렇게 보고 싶을까
　형은 지금 제 옆에서 자고 있어요
　오늘은 신기하게 아픔 안 걷어차
　　또 걷어찬다
　ㅋㅋㅋㅋㅋㅋㅋㅋㅋㅋㅋㅋ
　　원래 하지 말라는 거 계속하면 짜증 나는데 형이 하는 건 왜
　　다 사랑스럽지
　　아무래도 형한테 푹 빠졌나 봐요
　　근데 왜 저는 살 날이 얼마 안 남았을까요
　　형한테는 아직은 말할 수 없는 사실이라 혼자 너무 아프네요
　　이제 정말 얼마 안 남았나 봐요
　　　몸 상태가 악화됐어요
　　　형 몰래 아프기도 이젠 한계가 있을 것 같아서 불안해요
　　　형 앞에서는 안 아플래요
　　　형은 웃는 게 참 예쁘거든요
　　　많이 웃자아 :) 사랑해요

세 번째 편지,

형, 형은 웃는 게 참 예쁜데 말이에요

제가 자꾸 울리네요

형의 입꼬리에 제가 저도 모르게 주를 달아났나 봐요

이걸 읽고 축축 쳐지는 입꼬리를 하고 눈물을 흘릴 형이 벌써

상상돼요

형, 저 걱정시키고 싶지 않다고 했죠?

형은 웃는 게 에쁘니까 울지 마요

형이 웃기만 하면 제 모든 걱정들이 거짓말처럼 사라지니까요

이제 형도 알겠죠?

저 죽는대요

저는 분명 형이랑 영원하겠다는 약속을 했는데 제 불행이 영원하낸

요

그래도 형 덕분에 행복했어요

그러니까 형

바보 같이 울지 마요

전 늘 형 곁에 있어요 알죠?

형은 제발 오래 살아 줘요 제발

내 마지막 소원이에요 지켜줄 거죠?

사랑해 정말 많이

그리고 마지막 편지.

투박하게 써 놓은 편지 구석구석 보이는 짙은 회색 동그라미. 편지를 쓰는 내내 네 심정이 어땠는지 이 동그라미들이 증명해. 도하야, 내 심장이 서너 갈래로 찢어질 것 같아. 내 곁에 있겠다니, 그게 더 슬플 것 같아. 이젠 좀 자유로워져 도하야⋯⋯. 제발. 신이 있긴 한 걸까. 그 누구보다도 행복하고 싶어 했던 네게 이런 결말을 안겨 주다니. 내가 신이었으면 널 행복하게 해 줬을 거야. 오래오래 살게 해 줬을 거야. 근데 그러지 못하네. 이제 와서 후회하면 뭐 하지, 넌 이미 내 곁을 영원히 떠났는데. 도하야, 너는 이런 무능한 나라도 사랑해?

에필로그

　도하가 떠난 뒤 지한은 애써 잘살아 보려고 노력했지만, 집 곳곳에 도하의 흔적들이 가득했기에 결국 무너질 수밖에 없었다. 칼을 구매해 손목에 대 보기도 했지만 결국 생채기 하나도 내지 못하고 칼을 떨구었다. 도하가 사무치게 그리웠다.

침대에서는 나란히 누워 귤을 까먹으며 시답잖은 이야기로 깔깔댔었고, 소파에서는 영화나 보자며 텔레비전을 켰지만 고르다가 서로에게 기대 잠들었었고, 주방에서는 요리 솜씨가 없어 미역국을 못 했다며 미안해하던 도하를 속으로 귀여워했었고……

도하야, 너와 함께하면서 너무 행복했다. 고마워, 그리고 정말 많이 보고 싶어.

죽음으로 함께하겠다는 말 지키지 못 해서 미안해. 도하야, 미안해. 내가 정말 미안해.

*

**

***

****

*****

******

형,

형 눈은 바다를 동경하나 봐요.

잠잠하다가도 금세 다시 일렁이는 걸 보면,

형의 눈은 바다를 동경해 바다가 되었나 봐요.

형의 바다가 늘 고요했으면 좋겠어요.

모래사장에 써 놓은 우리의

이름이 지워지지

않게.

파도에

휩쓸려 영영

사라지지 않게.

알죠? 저는 늘 곁에 있어요.